LA MEJOR JUGADA
DE MADANI

Dedicado a Madani, Aziz,
Daouda, Solo, Khalid,
Hamadi, Abdelhadi y a todos
aquellos jóvenes con los que
compartí partidos y vida.
Y a Juan, que sabe muchísimo
de fútbol, y más aún de ser abuelo.
F. P.

A Diego e Irene,
que me reordenan el mundo.
R. C.

Fran Pintadera • Raquel Catalina

LA MEJOR JUGADA
DE MADANI

Ediciones Ekaré

En el barrio lo tenemos claro:
no hay un futbolista como Madani.
Aunque haya doscientos jugadores en el campo,
es sencillo distinguirlo: es el único que juega descalzo.
Antes, el jugador estrella era el que más fuerte
le daba al balón. Pero llegó Madani, y con él,
el mejor fútbol que se ha visto en el barrio.

Cada sábado, cuando el balón aterriza en sus pies desnudos,
la plaza se detiene. No solo la plaza, ¡el mundo entero!
Los camareros se quedan inmóviles con las bandejas en alto.
Los ancianos dejan de discutir. Las palomas no vuelan.
¡Hasta el tráfico se paraliza!

En esc momento comienza el espectáculo.

Madani hace girar la pelota y la lleva
de un lado a otro de su cuerpo.

La esconde entre sus piernas,

la pasea por sus hombros,

la duerme en la cabeza,

y utiliza la espalda como si fuera un tobogán,

para bajarla de nuevo
a sus pies descalzos.

¡Goooool!

La algarabía estalla en la plaza.
Los camareros lanzan las bandejas al aire,
los ancianos saltan y se abrazan, y las palomas
levantan el vuelo en bandadas dispares.

El griterío sale desde la cancha a conquistar el barrio.

Cruza los portales,
pasa por el quiosco,
recorre las callejuelas,
rodea la fuente de piedra,
y, cada vez más débil,
sube la escalinata
hasta la casa de Madani.

Del alboroto inicial apenas queda un susurro.
La madre de Madani lo escucha y se pone contenta.
Sabe que su hijo ha marcado un gol.
Le hubiera gustado verlo, pero aún tiene
muchos arreglos que hacer.
Con una sonrisa, continúa cosiendo.

Cuando el partido finaliza, todos están exhaustos,
excepto Madani. ¡Podría jugar durante siete días seguidos!
¡Y sin zapatos!
A veces sus compañeros se imaginan todo lo que podría hacer
si calzara unos botines de fútbol. Seguramente sería aún más veloz
y, tal vez, chutaría con más potencia.
Puede que le saliera esa chilena que intenta en cada partido.
Incluso podría quitarle los balones altos al Farola,
el pichichi de la liga y, para colmo, capitán del Florida,
nuestro rival histórico.

Desde hace un tiempo, Madani junta sus ahorros
en una caja de latón.
Algunas tardes no merienda. Otros días, cuando toca jugar
de visitantes y todos van en autobús, él va caminando.
A cambio, la caja aumenta de peso.
—Cuando esté llena, iré de compras al centro.
¡Los partidos serán mucho mejores! —repite cada semana.
Sus compañeros se alegran; dentro de muy poco, Madani,
por fin, jugará con botines.

Mañana el equipo se enfrenta al Florida. Aunque se juega
en casa, hay que estar muy preparados.
Hoy fue el último entrenamiento antes del gran partido.
Madani, para sorpresa de todos, ni siquiera llegó a la plaza.

Desde la otra acera, exclamó:
—Hoy no entreno, chicos. ¡Me voy al centro!
En la pista se hizo un silencio mientras todos lo miraban
alejarse con la caja de latón en la mano.

El entrenamiento fue un desastre.
Los delanteros pateaban al aire, los centrocampistas
no eran capaces de atinar dos pases seguidos y al portero
se le colaban los balones entre las piernas.
Por si fuera poco, en la pachanga que jugaron
contra los jubilados del barrio perdieron 1 a 7.

Aun así, en la plantilla no hubo caras largas.
Seguramente todos pensaron lo mismo:
«Mañana, ¡ay, mañana!, Madani recibirá al Florida
con sus botines nuevos».

El equipo se reúne una hora antes del gran partido.
Esperan a Madani para recibirlo como un héroe.
¡Ahí está! Se ve radiante. Viste su camiseta verde
con el número catorce a la espalda, los pantalones negros
y, en sus pies...

... en sus pies, unos flamantes botines de fútbol...
¡¿Invisibles?!

—Madani, ¿dónde están tus zapatos? —le pregunta el capitán.

—¿Qué zapatos? Yo siempre juego así.

—Ya... pero, ¿y tu excursión al contro? ¿Y la caja?

—¡Ah! ¿Quién dijo que era para unos botines? ¡Le compré a mi madre un regalo! Ahora terminará sus pedidos antes y podrá verme jugar cada sábado.

—Y, bueno, ¿a qué esperamos? ¿Se juega o no se juega?

Al entrar al campo, entre los gritos de la afición,
todos siguen desconcertados.
Despiertan, de golpe, cuando ven el balón acercarse veloz
a su portería.
Uno de los nuestros, como una locomotora, atraviesa la cancha
para cortar la pelota. Lleva el número catorce en su camiseta.
Con el balón en su poder, esquiva a uno, a dos... ¡a tres!
Se perfila en el área, alza su pierna y lanza un disparo impecable.

La plaza estalla de alegría. Madani también celebra su gol.
Mira hacia las gradas, y ¡allí está su madre!
Alza los brazos y corre hacia ella como si fuera el primer tanto
que anota en su vida.
—¡Este gol es para ti, mamá!
—Gracias, Madani. Por el gol, por la máquina... ¡y por todo lo demás!
Y ahora, a jugar, que queda mucho partido.

Antes del descanso, la madre de Madani aplaude
el segundo gol de su hijo. Un auténtico zurdazo.
Ha marcado un gol con cada uno de sus pies desnudos.

El partido finaliza con empate a dos.
El Farola goleó de cabeza en los dos saques de esquina
que tuvo el Florida.
Madani no pudo sacarle los balones altos.
Tampoco corrió más ni chutó con más potencia que otras veces.
Y cuando intentó la chilena, se metió un tortazo de película.
Sin embargo, a nadie le importa.

Hoy más que nunca, en el barrio lo tenemos claro...
¡No hay un jugador como Madani!

Fran Pintadera

Antes de contar historias me dediqué
a muchas otras cosas. Durante unos años
trabajé como educador social en pisos
de acogida. Allí conocí a un joven llamado
Madani y a otros como él.
Pasar las tardes jugando con aquellos
muchachos me hacía recordar la importancia
del barrio y de las historias que laten
en sus calles.
Mucho tiempo atrás, era yo el que jugaba
al fútbol en la plaza de mi barrio.
Aunque le ponía empeño nunca destaqué
por mi habilidad con el balón; sin embargo,
me desenvolvía con soltura al escribir
poemas y cuentos.
Hoy sigo igual, torpe con la pelota y con una
libreta y un bolígrafo aguardando cerca.
Como en el cuento de Madani, me gusta
hablar de las realidades cercanas, esas que
algunos llaman las «pequeñas cosas».

Raquel Catalina

«Dibuja una cara enfadada, una alegre,
una triste» era un libro de dibujo para niños,
el contorno de una cara dejaba un espacio
en blanco en medio para rellenar.
A la altura de una niña de cinco años, todas
las margaritas del papel pintado de la casa
de mis padres aparecieron un día enfadadas,
alegres, tristes…
Años después estudié Bellas Artes en Madrid
y más adelante un postgrado de ilustración
en Valencia, así que quiero pensar que
aquello fue un augurio y no una trastada.
El camino no fue una línea recta, hubo rodeos,
trabajos distintos que nada tenían que ver,
hasta volver al dibujo y a los libros.
Hoy llega el texto a la mesa de mi estudio:
«En el barrio lo tenemos claro: no hay un
futbolista como Madani». Yo vuelvo a mis
margaritas, veo el espacio en blanco, dibujo
unos pies desnudos, y empieza el juego…

EDICIONES ekaré

Edición a cargo de Pablo Larraguibel y María Cecilia Silva-Díaz
Diseño y dirección de arte: Irene Savino

Primera edición, 2021

© 2021 Fran Pintadera, texto
© 2021 Raquel Catalina, ilustraciones
© 2021 Ediciones Ekaré

Av. Luis Roche, Edif. Banco del Libro, Altamira Sur. Caracas 1060, Venezuela
C/ Sant Agustí, 6, bajos. 08012 Barcelona. España

www.ekare.com

ISBN 978-84-122677-2-3
Depósito legal B.22212-2020

Impreso por GPS Group, Eslovenia

Este producto procede de bosques gestionados
de forma sostenible y fuentes controladas